VIVONS LE MONDE EN OCÉANIE

Pauline Basset
Johan Dayt

Bonjour, je m'appelle Noa et j'habite à Paris.
Depuis que je suis toute petite, je rêve de parcourir le monde, de rencontrer les enfants de tous les pays, de découvrir un bout de leur culture, de partager leurs jeux... et surtout d'admirer leurs magnifiques costumes traditionnels, si colorés, parfois ornés de broderies et de pierres précieuses...
Cette fois, direction l'Océanie et toutes ses petites îles! Pour celles que je n'aurai pas le temps de visiter, ce n'est que partie remise...

Toute petite, ma maman me disait déjà:
«Dès qu'il sait marcher, l'enfant sait voyager».

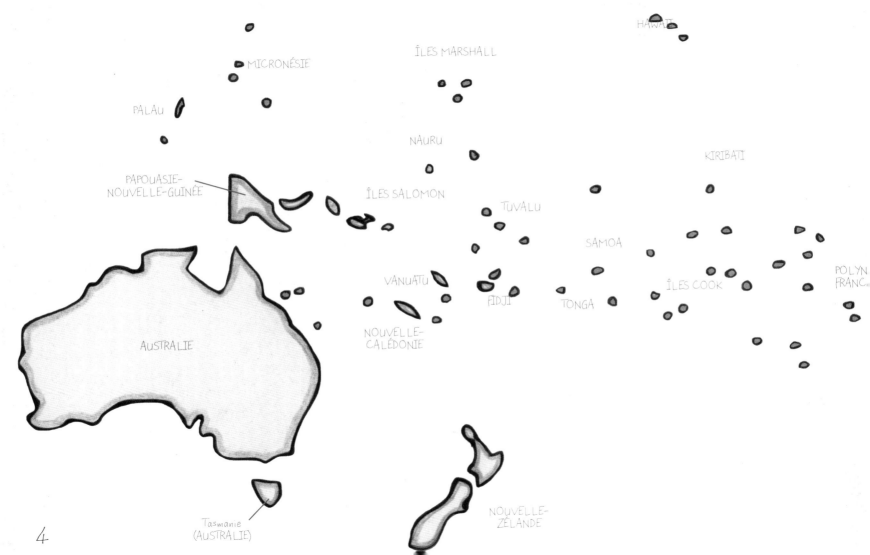

HAWAII

ÎLES MARSHALL

MICRONÉSIE

PALAU

NAURU

KIRIBATI

PAPOUASIE-
NOUVELLE-GUINÉE

ÎLES SALOMON

TUVALU

SAMOA

VANUATU

FIDJI

TONGA

ÎLES COOK

POLYN.
FRANC.

NOUVELLE-
CALÉDONIE

AUSTRALIE

Tasmanie
(AUSTRALIE)

NOUVELLE-
ZÉLANDE

COMMENT DIT-ON
Salut?

PITJANTJATJARA
(Aborigène d'Australie)
Palya

HULI
(Huli de Papouasie
Nouvelle Guinée)
Moning tru

HAWAIIEN
Aloha

TAHITIEN
(Polynésie)
Ia ora

PALAU
Alii

SAMOAN
Talofa

GILBERTIN
(Kiribati)
Mauri

FIDJIEN
Bula

DREHU
(N.Calédonie)
Bozu

BICHLAMAR
(Vanuatu)
Halo

MAORI
Kia ora

-AUSTRALIE-
Mont Uluru

CLIFFORD, 12 ans
Aborigène initié au « Temps du Rêve »
par ses aînés, il nous explique que
rien n'est plus important que la terre
et qu'il faut la préserver.

Il nous dit :
« Nous sommes tous des visiteurs de ce
temps, de ce lieu. Nous ne faisons que les
traverser. Notre but ici est d'observer,
d'apprendre, de grandir, d'aimer... Après
quoi nous rentrons à la maison ».

kangourou

mont Uluru

•Décalque et redessine ces morceaux de kangourou sur du papier épais ou sur du carton d'environ 1mm d'épaisseur.

•Découpe tout autour en faisant bien attention aux fentes.

•Assemble les éléments en t'aidant des lettres.

•Ton kangourou est prêt!

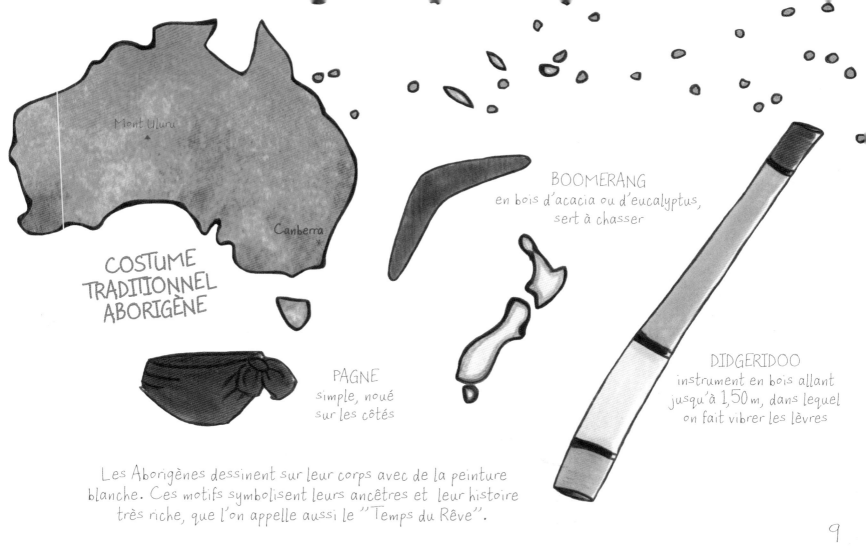

COSTUME TRADITIONNEL ABORIGÈNE

Mont Uluru

Canberra

BOOMERANG
en bois d'acacia ou d'eucalyptus,
sert à chasser

DIDGERIDOO
instrument en bois allant
jusqu'à 1,50 m, dans lequel
on fait vibrer les lèvres

PAGNE
simple, noué
sur les côtés

Les Aborigènes dessinent sur leur corps avec de la peinture blanche. Ces motifs symbolisent leurs ancêtres et leur histoire très riche, que l'on appelle aussi le ''Temps du Rêve''.

9

SELAI et KEPAS, 11 et 9 ans
Appartenant à la tribu des Huli, ils aiment par-dessus tout participer au sinsing, la grande fête qui réunit toutes les tribus de Papouasie.

10

-PAPOUASIE-
NOUVELLE-GUINÉE-

Palembei, Région du Sepik

maison
des esprits

Ils nous disent :
« Quand on a commencé à secouer le
cocotier, il faut aller jusqu'au bout ».

CUISINE TA TARTE À LA BANANE

CUISINE TA TARTE À LA BANANE

Ingrédients:

5 bananes •
2 œufs •
3 cuillères à soupe de crème fraîche •
30 g de sucre •
2 gousses de vanille •

Pour la pâte:
200 g de farine •
100 g de beurre •
1 œuf •
1 bâton de vanille •

Préparation: 30 min
Cuisson: 35 min

Préparation:

• Avec l'aide d'un adulte, préchauffe le four à 180°C.
• Enlève les petites graines noires des bâtons de vanille.
• Mélange bien la farine, le beurre ramolli, l'œuf et la vanille pour préparer la pâte brisée.
• Malaxe le tout avec les mains, puis dispose bien à plat dans un moule à tarte.
• Place sur la pâte les bananes coupées.
• Mélange maintenant les œufs et la crème fraîche, et ajoute le sucre et le reste de la vanille.
• Verse le mélange sur les bananes.
• Mets la tarte dans le four pendant 35 minutes.

COIFFE
en cheveux naturels de toute la famille, et ornée de plumes d'oiseaux du paradis

PAUAN
collier avec morceau d'huître

KINA
collier de coquillages

ORNEMENT DE NEZ
en os, très long

DAGUE
en os de casoar (grand oiseau)

PAGNE
en fibres, orné de tricot, coquillages et plumes

BRASSARDS
en fibres tressées

SAC
en fibre tressée, porté en bandoulière

ÉTUI PÉNIEN
en coque de fruit

COSTUME TRADITIONNEL HULI

Sépik

Port Moresby

À l'aide de couleurs jaunes, rouges et blanches, les Huli se peignent le visage. Le maquillage est réussi lorsqu'ils sont méconnaissables.

ARIITAIA, 11 ans
Fière de son pays, elle nous fait une
démonstration de danse traditionnelle.

Elle nous dit :
«Celui qui perd le rêve se perd».

-PALAOS-
Koror

14

ptilope des palaos

15

DÉCOUVRE LES MOTIFS DES PALAOS

Il y a deux sortes de maison typiques, les bai qui sont réservées aux hommes, et les blai qui sont des maisons familiales. Ces maisons sont décorées avec des motifs racontant les légendes et l'histoire de Palau.

L'araignée, symbole du héros Mengidabrutkoel qui a donné aux femmes la possibilité de mettre les enfants au monde.

Le dieu oiseau Delerrok évoque la richesse et l'abondance, car il est à l'origine de la monnaie.

La palourde (coquillage) est, selon la légende, le premier être à avoir vécu et qui a donné naissance à tous les poissons.

Ces motifs sont traditionnellement peints avec de l'ocre, des cendres, de la chaux, de la résine de noix...

COSTUME TRADITIONNEL PALUAN

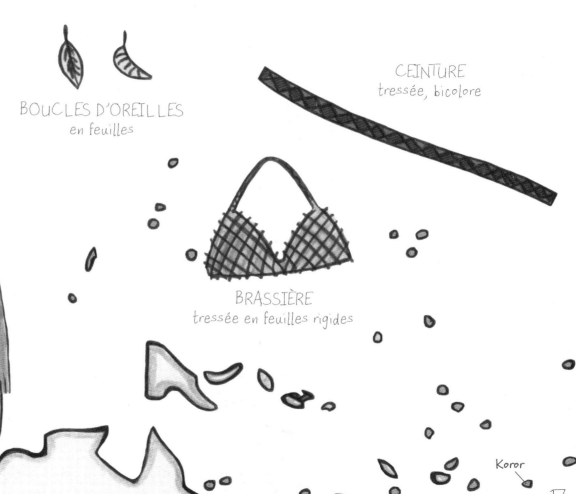

JUPE
en fibres, avec trois couleurs
et trois niveaux

BOUCLES D'OREILLES
en feuilles

CEINTURE
tressée, bicolore

BRASSIÈRE
tressée en feuilles rigides

Koror

17

-KIRIBATI-

Fonds marins,
océan Pacifique

DEE, 6 ans
Il explique qu'il y a 21 îles habitées dans les îles Kiribati, mais surtout qu'il y a la plus grande réserve marine naturelle du monde. On peut voir mille couleurs au fond de l'océan.

Il nous dit:
«Quand la nourriture n'est pas bonne, on parle de la nappe et des couverts».

poisson
chirurgien

poisson
papillon

poisson
cocher

poisson
clown

Matériel :

- papier
- ciseaux
- colle
- feutres
- peinture, paillettes...

Préparation :

- Dans du papier assez épais, découpe un long rectangle de papier d'environ 5 cm sur 20 cm, et fais des fentes dessus avec tes ciseaux à 4 cm des bords, ainsi qu'une fente dorsale de 5 cm, comme sur le dessin n°1.
- Dessine dessus des écailles et colore-le comme tu le souhaites (peinture, paillettes, confettis...) Tu peux colorier les 2 côtés de différentes couleurs.
- Forme une boucle avec le rectangle, et insère les fentes l'une dans l'autre, comme sur le dessin n°2.
- Tu peux ensuite découper la forme de la queue plus ou moins arrondie.
- Découpe des ronds dans le papier restant, dessine les yeux et colle-les sur ton poisson, un 3e rond pourra faire la bouche comme sur le dessin n°3.
- Dessine maintenant des ovales que tu peux t'amuser à colorier d'une autre manière, et colle-les sur les côtés, ce sont les nageoires.
- Il te reste maintenant à ajouter la nageoire dorsale, de la forme que tu veux, mais de 5 cm de large, comme sur le dessin n°5. Et après l'avoir coloriée, place-la au-dessus du poisson en mettant un point de colle par-dessous.

n°1 n°2 n°3 n°4 n°5

HAUT
tressé en feuilles
rigides

MWEN ROROA
guirlande tricolore
à mettre autour du cou

BAU
couronne de fibres

KARURU
décorations de fleurs
pour les bras

RAMANE
bandoulière en fibres

Tarawa

JUPE
en fibres tressées,
nouée à la taille

COSTUME
TRADITIONNEL
DES KIRIBATI

−HAWAII−

Parc Puuhonua O Honaunau

KALEA, 5 ans
Connaissant la hula (danse traditionnelle) sur le bout des doigts, Kaléa nous fait une petite démonstration au milieu des Tikis.

Elle nous dit:
« Si les cieux pleurent, la terre vivra ».

tikis
(sculptures
des Dieux)

23

CUISINE TON GÂTEAU À L'ANANAS

Ingrédients:

100 g de farine •
100 g de sucre •
1 sachet de levure •
3 œufs •
50 g de beurre fondu •
8 tranches d'ananas •
100 g de caramel liquide •

Préparation: 20 min
Cuisson: 30 min

Préparation:

• Avec l'aide d'un adulte, préchauffe le four à 180°C.
• Verse le caramel dans le fond du moule à gâteau, rond de préférence.
• Dispose joliment les tranches d'ananas sur le caramel.
• Dans un saladier, bats les œufs avec le sucre, et ajoute le beurre fondu.
• Incorpore petit à petit la farine et la levure en mélangeant délicatement.
• Verse la préparation sur les tranches d'ananas et mets au four pendant 30 minutes.
• Démoule assez rapidement après la sortie du four sinon ce sera plus difficile. Les tranches d'ananas doivent être au-dessus. Sers le gâteau tiède.

BRACELETS
en feuilles, pour les poignets
et les chevilles

COSTUME
TRADITIONNEL
HAWAIIEN

MALO
pagne en tissu
avec un pan
plus long devant

Honolulu

Honaunau

LEIS
long collier de fleurs
ou de coquillages

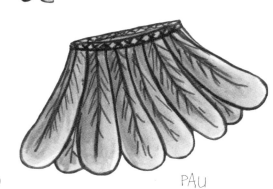

PAU
jupe en larges
feuilles de pandanus

-POLYNÉSIE-
Tahiti

NAINOA et LOÉ, 7 ans
Tahitiennes, nos deux amies aiment beaucoup nager avec les dauphins, ils sont si gentils et amusants.

tortue franche

Elles nous disent:
«L'oiseau qui chante ne sait pas
si on l'entendra».

vocabulaire courant

bonjour ia ora na
au revoir nana
merci mauruuru
oui e
non aita
ça va? e aha te huru?
bien maita'i
bon appétit tama'a maita'i
manger tama'a
boire inu

couleurs

blanc uouo, teatea
bleu ninamu, moana
jaune reàreà
noir ereere
orange anani
rouge uteûte
vert matie
violet vareau

jours

lundi monire
mardi mahana
mercredi mahana toru
jeudi mahana maha
vendredi mahana pae
samedi mahana ma'a
dimanche tapati

mer miti
ciel reva
soleil mahana
fleur tiare
oiseau manu

L'alphabet tahitien ne comprend que 13 lettres. 5 voyelles: a, e, i, o, u, et 8 consonnes : f, h, m, n, p, r, t, v.
À Tahiti, on parle le tahitien, mais aussi le français.
La prononciation du tahitien est semblable à celle du français, sauf:
• l'apostrophe qui signifie qu'il faut accentuer la voyelle qui suit
• le e que l'on prononce é
• le u que l'on prononce ou
• le h qui est toujours aspiré
• le r que l'on roule

TITI COCO
soutien-gorge
en noix de coco

II
pompon
de poignet

COLLIER
et couronne, de fleurs
ou de coquillages

**COSTUME
TRADITIONNEL
TAHITIEN**

TIARÉ
fleur typique

MORÉ
jupe en fibres végétales, ornée
de fleurs, pompons...

PARÉO
grand rectangle de tissu
que l'on peut nouer de
différentes manières

Tahiti

29

fale (abri traditionnel)

AZALEA, 8 ans

Samoane de Apia, elle aime se promener tranquillement le long des rives et se reposer dans les fales. Elle a hâte d'être en octobre pour la fête des enfants, Lotu a Tamaiti, où ils sont tous habillés en blanc et reçoivent des cadeaux.

30

Elle nous dit:
« Si la première fois tu n'y arrives pas,
essaye, essaye et essaye encore ».

-SAMOA-
Île de Upolu

CUISINE TES MASI SAMOA

Ingrédients :

1 kg de farine •
500 g de sucre •
200 g de beurre •
2 œufs •
25 g de fécule de maïs •
1 gousse de vanille •
400 ml de lait de coco •

Préparation : 15 min
Cuisson : 25 min

Préparation :

• Mélange le beurre et le sucre jusqu'à obtention d'une mousse légère.
• Ajoute les œufs, le lait de coco et la vanille, et mélange à nouveau.
• Ajoute ensuite la farine et la fécule de maïs puis essaie d'obtenir une pâte homogène.
• Avec la pâte, fais un rectangle d'environ 5 cm de diamètre et coupe-le délicatement en tranches de 1 cm.
• Avec l'aide d'un adulte, mets tes masi samoa au four pendant 25 minutes à 180 °C, ils sont prêts !

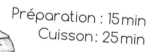

Apia

Upolu

WASEKASEKA
collier fait de dents
de cachalot

COSTUME
TRADITIONNEL
SAMOAN

ROBE
tressée en fibre
de chanvre

LAVALAVA
jupe pour homme, qui
ressemble à un paréo

SURJUPE
en plumes de
perroquet rouge

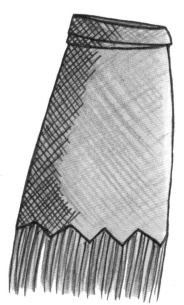

LEI
bandeau en perles, fruits,
pompons...

-ÎLES FIDJI-
Village de Navala

34

TEMO, 7 ans

Navala, entouré de montagnes, se trouve sur l'île de Viti Levu. Temo aime son petit village paisible, où il s'occupe de ses cochons.

Il nous dit :
« Seuls ceux qui voient l'invisible réussissent l'impossible ».

habitation en bambou tresssé

35

CUISINE TON VAKALAVALAVA
(GÂTEAU AU MANIOC ET LAIT DE COCO)

Ingrédients :

500 g de manioc râpé •
150 ml de lait de coco •
100 g de sucre roux •
beurre •

Préparation : 20 min
Cuisson : 45 min

Préparation :

• Avec l'aide d'un adulte, préchauffe le four à 180 °C.
• Beurre un moule à gâteau rond.
• Dans un saladier, mélange le manioc râpé et le sucre.
• Ajoute le lait de coco, et remue délicatement le tout.
• Verse dans le moule et fais cuire 45 minutes.
• À la sortie du four, démoule le gâteau et sers-le tiède.
• Tu peux le décorer avec des fleurs.

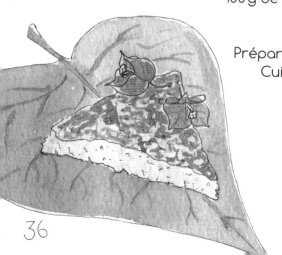

Navala

Suva

TABUA
collier fait de
dents de cachalot

COSTUME
TRADITIONNEL
FIDJIEN

COLLIER
de fleurs et de fibres

TAPA
tissu traditionnel fabriqué en battant
l'écorce du mûrier à papier blanc ou de
l'arbre à pain. La teinture s'applique
avec des poinçons en bambou
pour former les motifs

SULU
jupe portefeuille bleu marine,
portée par les hommes

-VANUATU-
Île volcanique de Tanna

banyan

Il nous dit :
«Demain c'est loin».

ADRIAN, 10 ans
Adrian nous montre où il habite, dans une cabane
en haut des banyans, ces énormes arbres à lianes
qu'on trouve au Vanuatu, et nous assure que la vue
sur le volcan Yasur en éruption, est magnifique.

La perruche et la roussette

C'était il y a très longtemps, à l'époque où les animaux pouvaient vivre en toute liberté, sans crainte de l'homme. La mer appartenait aux poissons de toutes sortes, la terre était le royaume des mammifères et autres insectes; quant au ciel, les oiseaux aux mille couleurs venaient l'égayer de leurs vols incessants. Mais qu'est-ce donc que ce drôle d'oiseau noir qui vole parmi les perruches? Mais oui, c'est bien une roussette! Et que fait cette chauve-souris parmi ces beaux oiseaux? C'est bien simple, une solide amitié unissait les deux espèces.

Toute la journée, perruche et roussette jouent ensemble. Les deux amies s'entendent à merveille. Plus grande, la roussette, protège la perruche des prédateurs éventuels. Maligne et de caractère gai, cette dernière apprend des tours de son invention à son amie, et la fait rire. Parfois, elle profite gentiment de sa naïveté.

C'est ainsi que, un jour, les deux amies se retrouvent sur une branche. Lassées de leurs jeux précédents, elles cherchent ensemble ce qu'elles pourraient faire pour changer un peu. Tout à coup, la perruche exécute un drôle de tour, comme si elle tombait de l'arbre. «Eh! Qu'est-ce qui t'arrive?» s'affole son amie. Revenu sur le haut de la branche après avoir fait un tour complet, l'oiseau rit de l'étonnement de la chauve-souris. «Et toi? Tu saurais faire ça? Regarde bien…»

Ouvrant les yeux ébahis, la roussette voit l'oiseau faire le tour entier de la branche, suspendue par les pattes. Inquiète au départ, elle éclate de rire en voyant son amie revenir à une position plus normale. «Ça a l'air drôle! Crois-tu que je pourrai le faire?» demanda-t-elle avec envie. «Bien sûr! Tu vas voir…» La perruche commence alors à détailler le mouvement pour son amie, afin de pouvoir jouer avec elle. Et la roussette s'élance, non sans appréhension. Vlouf! Elle se rattrape de justesse, encore étourdie par le tour qu'elle vient de faire. «Super comme jeu! On y va ensemble. Un, deux, trois,… partez!» Et les deux amies font un tour autour de leur branche! Le souffle coupé par le rire et l'exaltation de leur nouveau jeu, elles tournent et tournent encore.

Puis, au milieu d'un tour, la perruche s'arrête et reste accrochée, la tête en bas. Revenue en haut de la branche, la chauve-souris s'étonne de ne pas voir son amie. Puis, elle l'aperçoit: «Eh, reviens, qu'est-ce que tu fais?» La perruche rit en voyant le désarroi de sa compagne de jeu. Elle revient à côté d'elle après avoir fait un tour complet de la branche. «Je t'ai bien eu, hein!» Puis, malicieusement car elle sait que la roussette aura peur de le faire, elle ajoute: «Vas-y toi! Tu fais comme avant mais moins vite, pour rester la tête en bas! Tu verras, c'est facile!»

La roussette hésite, son équilibre est déjà précaire et elle a peur de tomber ou d'être ridicule. Mais un peu fière, elle décide de ne pas reculer devant l'obstacle. Elle s'élance et… reste en bas, comme son amie l'avait fait deux minutes auparavant. Fière de cet exploit, toujours la tête en bas, elle interpelle l'oiseau: «T'as vu? j'ai réussi! Et maintenant qu'est-ce que je fais?» «Ben, tu reviens!» Mais, malgré tous ses efforts, la roussette ne parvient pas à se redresser, ce qui déclenche les rires de la perruche. Après plusieurs tentatives, et toujours sous les moqueries de sa camarade qui commence à la vexer, la roussette finit par se laisser tomber et vole… loin de la perruche qui s'est moquée d'elle.

Depuis, les roussettes et les chauves-souris s'accrochent aux branches la tête en bas et ne se tiennent plus debout, comme avant. Rancunières, elles ne côtoient plus les perruches et vivent même la nuit pour éviter de rencontrer ces oiseaux de malheur qui les ont condamnées à dormir la tête en bas.

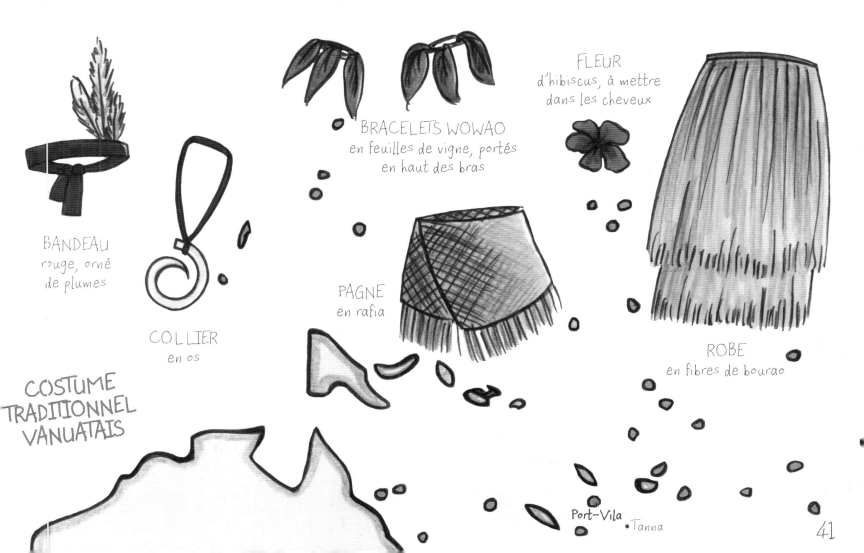

BANDEAU
rouge, orné
de plumes

COLLIER
en os

COSTUME
TRADITIONNEL
VANUATAIS

BRACELETS WOWAO
en feuilles de vigne, portés
en haut des bras

PAGNE
en rafia

FLEUR
d'hibiscus, à mettre
dans les cheveux

ROBE
en fibres de bourao

Port-Vila
• Tanna

41

WAIMALO et MAILOU, 7 ans
Kanaks, ils adorent les rassemblements
de danse, et nous apprennent qu'il en
existe pour chaque occasion, la danse
du Pilou, la danse de la Pirogue...

pirogue à
balancier

42

Ils nous disent:
« Avant de cueillir une feuille,
il faut demander la permission
à l'arbre ».

-NOUVELLE-CALÉDONIE-
Île des Pins

DÉCOUVRE LA GRANDE CASE KANAK

La flèche faîtière symbolise l'ancêtre, "le frère aîné". L'aiguille est décorée avec des coquillages.

La grande case, aussi appelée maison des hommes, symbolise la puissance pour les Kanaks.

Elle est ronde, au toit conique, et peut mesurer jusqu'à 20 m de haut.

Toute l'architecture repose sur un poteau central fait dans du bois de houp, qui représente le chef.

Le toit est fait de chaume et d'écorces de niaoulis.

La porte fait 1,50 m de hauteur, ce qui oblige les visiteurs à s'incliner.

Les poteaux de tour de case, sculptés et dessinant la structure, représentent les clans.

La case est construite sur un tertre, au point le plus haut de village. Le chemin qui y mène est aussi très important, il s'appelle "allée de la Chefferie".

COURONNE VÉGÉTALE
en liane ou écorce de banyan

JAMBIÈRES
en fibres également, pouvant faire
office d'instruments lors des danses
en y accrochant des grelots

ROBE MISSION
ample, portée depuis
la venue des missionnaires

PAGNE
en fibres de banyan

Île des Pins

Nouméa

45

MAUI et HINEMOA, 5 et 8 ans
Maoris de Te Puke, la ville du kiwi, ils nous
apprennent à dire bonjour comme chez eux,
nez contre nez et front contre front.

-NOUVELLE-ZÉLANDE-
Réserve et grotte de Cathedral Cove

Ils nous disent :
« Tourne-toi vers le soleil,
l'ombre sera derrière toi ».

DÉCOUVRE LE HAKA

La danse HAKA doit obligatoirement être conduite par un Maori, pour que la magie noire (selon la légende) soit présente. Le haka est plus un rite qu'une danse ; il peut exprimer la joie, la colère, le désir de vengeance. Le corps tout entier doit s'exprimer. Chaque geste porte un nom bien spécifique :

• Le PUKANA est traduit par des yeux exorbités, rivés à ceux de l'adversaire

• Le WHETERO correspond au mouvement de la langue, utilisé seulement par les hommes

• Le NGANGAHU est similaire au pukana, mais ce dernier est pratiqué par les hommes et les femmes

• Le POTETE, réservé aux femmes, est l'art de cligner des yeux à différents moments de la danse

Il y avait autrefois, plusieurs types de haka, par exemple on dansait le HAKA PERUPERU, avant de partir à la bataille, pour invoquer le dieu de la Guerre et avertir l'ennemi du sort qui lui était réservé. On le dansait avec des expressions féroces, des grimaces, langue tirée, yeux exorbités, grognements et cris.
Le haka pouvait aussi être pratiqué lors des fêtes ou pour souhaiter la bienvenue. Il pouvait également être une prière adressée à l'un des dieux maoris. Le plus connu des hakas est celui de TE RAUPARAHA qui accompagne les joueurs de rugby, dans le but d'effrayer leurs adversaires.

Ka mate ! Ka mate ! Ka ora ! Ka ora !	Je vis ! Je vis ! Je meurs ! Je meurs !
Ka mate ! Ka mate ! Ka ora ! Ka ora !	Je vis ! Je vis ! Je meurs ! Je meurs !
Tenei te tangata puhuru huru	Voici l'homme poilu
Nana nei i tiki mai, Whakawhiti te ra	qui est allé chercher le soleil
A upane ! Ka upane !	et l'a fait briller à nouveau !
A upane ! Ka upane !	et l'a fait briller à nouveau !
Whiti te ra ! Hi !	Le soleil brille !

TA MOKO
tatouage facial

REI PUTA
collier en os ou en jade

COSTUME TRADITIONNEL MAORI

Cathedral Cove

Wellington

HAUT
à motifs géométriques
blancs, rouges, noirs

BOUCLES D'OREILLES
en dents de requin

TAANIKO
liseré à motifs géométriques
blancs, rouges, noirs

POMPONS
ornements des jupes pour les filles

PIUPIU
jupe en fibres tubulaires

Chez les Maoris, le tatouage est très important. Il permet d'indiquer le rang, la personnalité de l'individu, et peut être fait sur la totalité du corps. Chaque tatouage est unique.

49

la famille de poissons cocher

avec Loé,
à Tahiti...

De retour de mon périple en Océanie, j'emporte dans mon cœur des amis pour la vie! Que de beaux souvenirs... Vivement le prochain voyage!

50

Visite tous les continents avec la collection